El secreto del viejo olmo

Adaptación didáctica y actividades por **Carmelo Valero Planas**

Ilustraciones de **Fabio Sardo**

Redacción: Maria Grazia Donati
Diseño y dirección de arte: Nadia Maestri
Maquetación: Carla Devoto
Búsqueda iconográfica: Alice Graziotin

© 2012 Cideb, Génova, Londres

Primera edición: enero de 2012

Créditos fotográficos:
Photos.com; IstockPhoto; DreamsTime; Bruno Morandi/Getty
Images: 4; De Agostini Pictures Library: 7.

Todos los sitios internet señalados han sido verificados en la fecha
de publicación de este libro. El editor no se considera responsable
de los posibles cambios que se hayan podido verificar. Se aconseja
a los profesores que controlen los sitios antes de utilizarlos en clase.

Para cualquier sugerencia o información se puede establecer
contacto con la siguiente dirección:
info@blackcat-cideb.com
www.blackcat-cideb.com

The Publisher is certified by

 CISQCERT

in compliance with the UNI EN ISO 9001:2008
standards for the activities of «Design and
production of educational materials»
(certificate no. 02.565)

ISBN 978-88-530-1224-1 libro + CD

Impreso en Italia por Litoprint, Génova

Índice

 Texto integralmente grabado.

 Este símbolo indica las actividades de audición.

 Este símbolo indica las actividades de preparación al DELE.

Tenerife

Las Islas Canarias

Las islas

El archipiélago de las Canarias está situado frente a la costa noroeste de África, a la altura de Marruecos, en el océano Atlántico.

Es una de las diecisiete comunidades autónomas de España. Está formado por siete islas principales: El Hierro, La Gomera, La Palma y Tenerife forman la provincia de Santa Cruz de Tenerife; Fuerteventura, Gran Canaria y Lanzarote forman la provincia de Las Palmas.

Estas siete islas, y media docena de islotes, son el resultado de la erupción de cientos de volcanes en el fondo del mar hace 14 millones de años. El mismo origen volcánico tienen los archipiélagos de Cabo Verde, Azores y Madeira.

Disfrutan de un cálido sol durante todo el año, ya que están al lado del trópico, con temperaturas mitigadas por el mar, y en verano por los vientos alisios. Cuando soplan vientos del levante, el *Siroco*, suelen ir acompañados de *calima*, es decir, arena en suspensión procedente del desierto del Sáhara, alcanzando a veces una gran densidad.

El paisaje abarca desde desiertos de lava hasta bosques de la era terciaria, y desde dunas de arena hasta cimas volcánicas. Debido a los microclimas presentes en una misma isla, podemos encontrar zonas donde aparecen bosques húmedos y otras zonas donde la aridez es la característica principal. El Teide, en Tenerife, es el punto más alto de España, con 3.718 metros sobre el nivel del mar.

Ayer y hoy

Cuando en los siglos XIV y XV los navegantes españoles conquistaron las Canarias, estas islas estaban habitadas por los guanches, un pueblo de cultura neolítica. La economía de los antiguos isleños se

El Hierro

Las Palmas de Gran Canaria

basaba fundamentalmente en la ganadería de especies introducidas desde el continente africano, como la cabra, la oveja y el perro.

El pueblo canario es el producto de múltiples influencias. La cultura canaria ha recibido aportaciones de los tres continentes bañados por el Atlántico, Europa, África y América, formando una identidad cultural rica y diversa. Han influido mucho las migraciones con Latinoamérica, especialmente con Cuba y Venezuela.

Hoy el principal factor económico es el turismo, y consecuentemente la construcción de hoteles, apartamentos y chalés. Canarias es la tercera región española que recibe más turistas extranjeros al año: casi 10 millones. Los principales turistas que visitan las islas provienen del Reino Unido y Alemania.

Tiene muy poca industria: refinamiento de petróleo y agroalimentaria. Solamente está cultivado el 10% de la superficie donde crecen el trigo, la vid, los tomates y los plátanos, que comercializa fundamentalmente

Lanzarote

en España. También se ha iniciado la exportación de frutas tropicales (aguacates, piñas, mangos y otros cultivos de invernadero).

La fiesta más conocida e internacional de Las Canarias es el carnaval. Se celebra en todas las islas y todos los municipios. Pero el de mayor relevancia del país es el Carnaval de Las Palmas de Gran Canaria.

Comprensión lectora

1 **Marca con una ✗ si las afirmaciones son verdaderas (V) o falsas (F).**

		V	F
1	Las Canarias pertenecen a Portugal.	☐	☐
2	Canarias está formada por diecisiete islas.	☐	☐
3	El Siroco es un viento del este.	☐	☐
4	El Teide es la montaña más alta de España.	☐	☐
5	La mayor parte de los turistas que visitan Canarias es de Alemania y Francia.	☐	☐
6	El carnaval se celebra en todos los pueblos.	☐	☐

Personajes

Morote, brigada a las
órdenes de Roqueta.

Jesús, el farmacéutic[o]

Roqueta, teniente
de la Guardia Civil.

Ana, florista,
novia de Luis.

Luis, hijo de Helena,
hermano de Paula y
sobrino de Andrés;
trabaja en la posada.

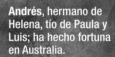

Andrés, hermano de Helena, tío de Paula y Luis; ha hecho fortuna en Australia.

Helena, madre de Paula y Luis, hermana de Andrés y propietaria de la posada.

Roberta, amiga de Ana.

Paula, hija de Helena, hermana de Luis y sobrina de Andrés; está para casarse con Marcos.

Marcos, futuro marido de Paula.

Marta, viejo amor de Andrés.

Escalofríos de miedo

«¿Por qué has vuelto? ¡Te arrepentirás! ¡Te voy a matar!» dice el **mensaje.**

Andrés se queda sorprendido. Se sienta al lado de la chimenea en la sala de estar de la posada de su hermana Helena. En la habitación no hay nadie. Lee de nuevo el mensaje, preocupado.

«¿Es una broma [1] o una amenaza verdadera?» se pregunta.

Mira por la ventana. El sol brilla sobre los tejados y balcones del pequeño pueblo. Por primera vez en su vida, tiene miedo. Sabe que está en peligro.

«Tengo que estar muy atento, muy atento...» reflexiona Andrés.

El reloj de pared marca las dos.

—Tío, ¿todavía aquí?

---

1. **broma**: hecho o dicho con que alguien intenta hacer reír sin mala intención.

Paula, su sobrina, le sonríe desde la puerta. Tiene una cara bonita, enmarcada por largos cabellos rubios.

—Oh, cariño, me había olvidado de Marcos... de la cita.

La chica se da cuenta de que su tío está preocupado.

—¿Hay algo que te preocupa? —pregunta. Y luego añade:

—Si quieres llamo a Marcos y le digo que no puedes verte con él...

—No, no. Tenemos que vernos hoy, él tiene ya muchas cosas que preparar para vuestra boda.

—Normalmente es la esposa la que tiene problemas con los preparativos —ella se ríe.

—¿Eres feliz? —le pregunta su tío. La mira en los ojos.

—Sí, soy muy feliz y además estoy muy cansada.

—No te quejes —grita Helena desde el pasillo. Tiene una bolsa llena de cosas: fruta, verdura, queso, varios paquetes—. He hecho casi todo yo.

—¡Mamá, no bromees! —continúa Paula.

—¿¡Ah, sí!? —dice la otra—. Vamos a ver, chiquilla, ¿quién ha escrito las invitaciones? ¿Quién ha hablado con la modista?

—¡Basta, mamá!, me rindo. ¡Sí, efectivamente has hecho todo tú! Más aún, a lo mejor eres tú la que se va a poner al lado de Marcos, el día de la boda.

Todos se ríen.

Una hora después, el tío de Paula se encuentra con Marcos. Hay mucha tensión entre los dos.

—¡No lo vendo!

Marcos, un hombre atrayente, moreno con el pelo rizado, se para y mira a Andrés sorprendido, el cual parece muy cansado.

—Tío, me permito llamarte así, ya que dentro de poco me voy a casar con tu sobrina. Me lo tienes que vender...

—Me pides demasiado —responde él.

Mira el terreno que quiere Marcos: un prado rodeado por bosques. Cerca, el azul intenso del océano y la isla de La Gomera, y a lo lejos las siluetas de La Palma y El Hierro.

—Como te decía, te lo puedo pagar muy bien.

—No es una cuestión de dinero.

Un rayo de sol ilumina los terrenos sobre una colina.

—¿Así que quieres arruinarme?

—Marcos, trata de entenderme... Acabo de llegar de Australia, quiero disfrutar de esta paz, de la tranquilidad que solamente saben darme estos lugares —suspira Andrés y luego añade:

—Seguramente pondré una casita de madera ahí en el centro —indica—, y desde el balcón veré las barcas en el mar.

—Eres tú el que no entiendes: cada casa construida en este sitio y con estas bonitas vistas, se puede vender en tres o cuatro semanas, pero qué digo, en tres o cuatro días... ¡un negocio ² que no se puede perder!

—He hecho tantos negocios en mi vida... —toca el brazo del joven—, solo quiero un sitio donde pasar la vejez y lo he encontrado aquí, entre las colinas, el mar y las palmeras... en la tierra que me dejó mi padre.

Marcos lo interrumpe gritando:

—¡Eres un egoísta! Piensas solo en ti y no en Paula, que va a ser mi mujer, a nuestro futuro, al hecho que ya he preparado el proyecto...

—Te lo repito por última vez —el tío mira fijamente al joven con sus profundos ojos azules, que expresan una gran inquietud—.

---

2. **negocio**: operación o actividad de las que se espera obtener un beneficio económico.

Solo la muerte me puede separar de este terreno.

—¡Te arrepentirás de esta decisión! ¡Juro que te arrepentirás!

—¿Es una amenaza?

Estas palabras no obtienen respuesta y Marcos se aleja velozmente.

Entretanto, en el pueblo, en la tienda de Ana, la florista, entre floreros de rosas, de lirios y de orquídeas, Paula elige el ramo para su boda. La amiga, una chica con unos ojos verdes espléndidos, está contenta y le ayuda con amabilidad.

—Sí, sí... Son exactamente estas rositas blancas que quiero para mi ramo: sencillas y elegantes. ¿Qué te parece? —pregunta Paula. Aparta con la mano los largos cabellos rubios, y feliz, enseña las rosas.

—¡Espléndido! —comenta la florista. Observa el ramo y sonríe a la amiga.

Ana acerca las flores a la cara para oler el perfume:

—Me tienes que lanzar este delicioso ramo, ¿te acordarás?

—Claro que sí, te lo daré solamente a ti, así también tú te casas... ¡Espero pronto, muy pronto, y con mi hermano, naturalmente!

La chica de los grandes ojos verdes sonríe con embarazo, luego, de repente, dice seria:

—¿Estás segura?

La amiga le lanza una ojeada, sorprendida.

—¿Quieres decir segura del matrimonio, segura de Marcos?

—No quiero ofenderte, pero... no sé cómo afrontar el tema... Se dice que tiene poco trabajo... y, en fin, que en este momento anda de capa caída.

Intenta adivinar el pensamiento de Paula y luego añade incierta:

—Parece que si tu tío no le deja construir, va a tener bastantes problemas.

—Nunca me ha hablado de esto —su sonrisa desaparece y baja los ojos—. Son tiempos duros, pero mi tío nos ayudará, no es como crees... Seguro que nos va a ayudar también con el terreno y a Marcos le permitirá construir.

—No me fío de él —sigue Ana—. Todos dicen que ha hecho fortuna en Australia, pero a vosotros que sois los únicos familiares ¿os ha dado algo? No sé... ¿dinero o alguna otra cosa?

—No, ni siquiera una esmeralda, un zafiro o un rubí. Como sabes, era un buscador de diamantes, allá. Y ahora ha vuelto para quedarse.

—Entonces, tiene que ser realmente rico y a lo mejor, a lo mejor... posee un buen montoncito [3] de piedras preciosas.

—No creo; la mamá, que es muy curiosa, ha buscado por todas partes sin encontrar nada.

—¡Qué misterio!

Una nube ha tapado el sol, el tiempo está cambiando. El aire frío entra en la tienda de flores. Paula siente un escalofrío en la espalda. ¿Qué le prepara el destino?

---

3. **montoncito**: diminutivo de montón, gran cantidad o abundancia.

Después de leer

Comprensión lectora

1 **Marca con una X la opción correcta.**

1 Andrés acaba de llegar
   a ☐ de América.
   b ☐ de Australia.
   c ☐ de Alemania.

2 Andrés y Marcos están
   a ☐ en el restaurante.
   b ☐ en un sitio desde donde se ve el mar.
   c ☐ en una montaña.

3 Marcos está enfadado porque
   a ☐ el tío no le da dinero para su boda.
   b ☐ el tío no le presta dinero.
   c ☐ el tío no quiere venderle un terreno.

4 Marcos se va
   a ☐ contento porque se va a casar pronto.
   b ☐ enfadado porque Andrés no le ha dado lo que quería.
   c ☐ triste porque el tío está enfermo.

5 Ana, la florista, está eligiendo las flores
   a ☐ para su boda con el hermano de Paula.
   b ☐ para una fiesta de cumpleaños.
   c ☐ para la boda de la amiga Paula.

6 El ramo contiene
   a ☐ margaritas.
   b ☐ solamente rosas.
   c ☐ rosas y otras flores.

7 Después de que Ana le habla de Marcos, Paula está
   a ☐ contenta.
   b ☐ preocupada.
   c ☐ enfadada.

2 Indica la persona que según tú ha dicho las siguientes frases.

1 —Estoy para casarme, tengo que ir a la florista.
   a ☐ Paula
   b ☐ Helena
   c ☐ Andrés

2 —Quiero una casita aquí, en medio del prado, donde pasaré mi vejez.
   a ☐ Marcos
   b ☐ Paula
   c ☐ Andrés

3 —Lo siento por mi amiga, se casa con el hombre equivocado.
   a ☐ Marcos
   b ☐ Ana
   c ☐ Paula

4 —Las bodas están cerca. Tengo que hacer feliz a mi esposo.
   a ☐ Helena
   b ☐ Paula
   c ☐ Ana

Léxico

3 Elige el significado exacto.

1 *Darse cuenta* significa
   a ☐ contar
   b ☐ entender
   c ☐ mirar

2 *Boda* significa
   a ☐ luna de miel
   b ☐ casamiento
   c ☐ banquete

3 *Quejarse* significa
   a ☐ tener miedo
   b ☐ lamentarse
   c ☐ preocuparse

4 *Apartar*, referido a los cabellos, significa

   a ☐ eliminar

   b ☐ quitar de la frente

   c ☐ evitar

5 *Escalofrío* significa

   a ☐ tener fiebre

   b ☐ sensación de hambre

   c ☐ sensación de frío a causa del miedo

4 Completa las siguientes frases con el adjetivo adecuado.

1 Andrés parece muy .... cuando lee el mensaje.

   a ☐ cansado   b ☐ preocupado   c ☐ triste

2 Andrés decide estar más ....

   a ☐ tranquilo   b ☐ simpático   c ☐ atento

3 Paula se da cuenta de que su tío está ....

   a ☐ alegre   b ☐ preocupado   c ☐ nervioso

4 Marcos se queda .... cuando el tío le dice que no quiere venderle los terrenos.

   a ☐ impasible   b ☐ sorprendido   c ☐ preocupado

5 Paula está .... cuando enseña el ramo que ha elegido para su boda.

   a ☐ alegre   b ☐ feliz   c ☐ triste

6 La mamá de Paula es muy .... y ha buscado las piedras por todas partes.

   a ☐ inteligente   b ☐ curiosa   c ☐ intransigente

Expresión escrita

5 Tienes la posibilidad de construir tu casa en un sitio que te gusta. ¿Qué sitio eliges? ¿Por qué? Describe lo que ves desde tu ventana.

Un montón de problemas

Hay pocas personas en el paseo frente al mar.

Marta, una mujer de cara un poco chupada, pero todavía fascinante, agarra del brazo a un hombre y lo mira a los ojos.

—¿Por qué has vuelto?

—Quiero un poco de paz —le dice él.

Marta se para y observa a Andrés. «Después de tantos años... todavía tiene el mismo carácter de un tiempo» piensa.

—Nunca te olvidé...

—No me importa, ahora estoy casada... Responde a mi pregunta: ¿por qué has vuelto?

—Ya te lo he dicho, quiero quedarme aquí, en busca de tranquilidad.

Intenta acariciarla.

—¡Basta ya! Alguien puede vernos...

—¿Tan celoso es tu marido?

—Sí.

—Nunca he dejado de amarte. ¡He vuelto también por ti y por nuestro hijo!

—No pensarás en volver a empezar...

—¿Por qué no?

Marta está quieta delante del hombre, tiene los puños apretados.

—Mírame bien, te lo repito —tiene una mirada amenazadora—. ¡Todo se ha acabado entre nosotros!

Él se aparta, sorprendido.

—No debes contar lo que ha habido entre nosotros... ¡No tienes que decírselo a nadie, a nadie! ¿Has entendido? —continúa ella.

—Mi hijo tiene que saber que soy su padre. ¡No puedes impedírmelo!

—Si dices una sola palabra... si lo haces... ¡te mato!

—¡Quiero reconocer a mi hijo!

—¡Nunca jamás! Es nuestro hijo, mío y del hombre que no me ha abandonado, que me quiere... no puedo darle este dolor.

—En cambio se lo darás, porque voy a decir a todo el mundo que es mi hijo.

Mientras las lágrimas le bajan por la cara, la mujer se va corriendo, desesperada.

Andrés mira fijamente el mar. Ha sucedido lo que temía. Marta, el amor de sus veinte años, no está dispuesta a renunciar a su vida y a su familia por él, que todavía la quiere.

Inquieto, decide volver a la Posada del Viejo Olmo.

—Te estaba buscando, tío.

Luis, un chico robusto, con una cara simpática, con delantal blanco y gorro de cocinero, sonríe a Andrés. Con la mano en el tronco del olmo, frente a la entrada de la posada, pregunta:

—¿Hay algo que no va bien?

—Nada, nada... —responde el otro. Toma una de las sillas al lado del árbol y se sienta.

—Tengo que preguntarte algo.

—Dime.

—Bueno, tío, sé que eres rico, muy rico...

«¿Qué quiere?» piensa Andrés e interrumpe al sobrino:

—Cuentos, habladurías de pueblo, fantasías de la gente...

—¡No puedes bromear siempre! Todos sabemos que has hecho fortuna en Australia.

—¿Y entonces?

—Entonces, simplemente quiero decirte que te necesitamos, la mamá, Paula y yo.

—¿Por qué?

—Porque la posada no va bien como una vez. Ahora, los turistas prefieren los hoteles de lujo, con piscina y parque... Hay que arreglar el tejado [1], si no, dentro de poco lloverá en las habitaciones. Se necesita dinero y nosotros no lo tenemos —se interrumpe esperando la respuesta, que llega como una puñalada.

—Podéis pedirlos al banco. Con una posada vuestra no os negarán el préstamo...

1.   **tejado**: parte superior de un edificio recubierto de tejas.

—Y del dinero que te dio tu hermano, mi padre... no te acuerdas ¿verdad?

Andrés se encoge de hombros, un poco molesto y finge que no se acuerda.

—Al menos aquel dinero, al menos aquel, nos lo tienes que devolver, por favor. Los gastos para la boda de Paula son muchos... ¡demasiados!

El tío se levanta de un salto.

—Yo tengo que pensar en mi vejez. ¡Créeeme, no puedo hacer nada por vosotros!

—¿Por qué no quieres ayudarnos? —grita el chico, mientras Andrés se va—. Cuando no se devuelve el dinero al banco se pierde todo. ¿Lo sabes o no lo sabes?

Ninguna respuesta. Luis le da una patada [2] al olmo y se dirige hacia la plaza del pueblo, enfadado.

Murmura:

—¡Me vengaré! ¡Cierto que me voy a vengar!

2. **patada**: golpe dado con el pie o con la pata.

Después de leer

Comprensión lectora y auditiva

1 Marca con una ✗ si las afirmaciones son verdaderas (V) o falsas (F).

		V	F
1	En el paseo frente al mar hay mucha gente.	☐	☐
2	El marido de Marta es muy celoso.	☐	☐
3	Marta todavía está enamorada de Andrés.	☐	☐
4	Marta llora y se va corriendo.	☐	☐
5	Andrés, después de ver a Marta, está inquieto.	☐	☐
6	Luis le pide dinero a su tío, para comprarle un anillo a su novia.	☐	☐
7	Andrés dice que le dará solamente el dinero recibido de su hermano, el padre de Luis.	☐	☐
8	Luis decide perdonarlo.	☐	☐

2 Escucha la segunda parte del capítulo y completa el texto.

Mientras las lágrimas le bajan por la (**1**) ...., la mujer se va corriendo, desesperada.

Andrés mira fijamente el mar. Ha (**2**) .... lo que temía. Marta, el amor de sus (**3**) .... años, no está dispuesta a renunciar a su vida y a su familia por él, que (**4**) .... la quiere.

Inquieto, decide volver a la Posada del Viejo Olmo.

—Te estaba (**5**) ...., tío.

Luis, un chico robusto, con una cara simpática, con delantal blanco y gorro de cocinero, (**6**) .... a Andrés. Con la mano en el tronco del olmo, (**7**) .... a la entrada de la posada, pregunta:

—¿Hay algo que no va bien?

—Nada, nada... —responde el otro. Toma una de las (**8**) .... al lado del árbol y se sienta.

—Tengo que preguntarte algo.

—Dime...

—Bueno, tío, (**9**) .... que eres rico, muy rico...

«¿Qué quiere?» piensa Andrés e interrumpe al (**10**) ....:

—Cuentos, habladurías de pueblo, fantasías de la gente...

¡Atención!

a + el se contrae → al   de + el se contrae → del

Gramática

3 Completa las frases con las siguientes preposiciones.

> de   a   hacia   por (x2)   para   al   en (x2)   con   entre   del

1   Marta se para y observa .... Andrés.

2   Nunca he dejado .... amarte.

3   He vuelto también .... ti y .... nuestro hijo.

4   ¡Todo se ha acabado .... nosotros!

5   Toma una de las sillas .... lado del árbol y se sienta.

6   Todos sabemos que has hecho fortuna .... Australia.

7   Los turistas prefieren los hoteles .... piscina y parque.

8   Los gastos .... el matrimonio de Paula son muchos.

9   Yo tengo que pensar .... mi vejez.

10 Luis le da una patada al olmo y se dirige .... la plaza
    .... pueblo.

Léxico

DELE **4** ¿En qué situación dirías las siguientes expresiones?

1   —Seguramente iremos de excursión a la montaña.
    Tú estás expresando una...
    a ☐ certeza.
    b ☐ posibilidad.
    c ☐ contrariedad.

2   —Antonio, yo que tú la llamaría por teléfono.
    Tú estás expresando una...
    a ☐ queja.
    b ☐ petición.
    c ☐ sugerencia.

3 Francisco va a la playa a menudo.

Francisco va a la playa...

a ☐ a veces.

b ☐ desde los cinco años.

c ☐ con frecuencia.

4 —¡Que lo pases bien!

Tú estás expresando a alguien...

a ☐ un deseo.

b ☐ un problema.

c ☐ una duda.

5 **Sustituye las palabras en negrita con su sinónimo correspondiente.**

a posesivo	d atractiva	g intimidatoria
b cerca	e delgada	h indignado
c antes	f debe	i calumnias

1 ☐ ☐ Marta es una mujer de cara un poco **chupada**, pero todavía **fascinante**.

2 ☐ ¿Tan **celoso** es tu marido?

3 ☐ Marta tiene una mirada **amenazadora**.

4 ☐ Mi hijo **tiene que** saber que soy su padre.

5 ☐ Toma una de las sillas **al lado** del árbol y se sienta.

6 ☐ Cuentos, **habladurías** del pueblo, fantasías de la la gente.

7 ☐ La posada no va bien como **una vez**.

8 ☐ Luis le da una patada al olmo y se dirige hacia la plaza del pueblo, **enfadado**.

Expresión escrita

6 **Quieres realizar tu sueño pero no tienes dinero. Cuenta cuál es ese sueño y cómo consigues el dinero.**

Capítulo 3

Solo después de mi muerte...

El sol brilla en los prados. Ana y Luis caminan por un sendero **entre los campos. Van cogidos de la mano.**

—Ayer casi reñí con mi tío —dice el chico.

—¿Por qué?

—No quiere ayudarnos. No nos quiere dar el dinero para la posada, para arreglar el tejado...

—Entonces, ¿tampoco tenemos el dinero para nuestro matrimonio?

—Así es, no hay dinero. Cariño, tenemos que esperar...

—¿Esperar todavía? ¡No me lo puedo creer!

—El tío, la única persona que podía ayudarme, ha dicho que no.

—¡Qué miserable! ¡Lo odio con todo mi corazón! —se gira hacia las colinas para esconder las lágrimas.

Entre tanto, el tío de Luis está en la farmacia del amigo Jesús, un hombre delgado, con astutos ojos negros, detrás de las gruesas lentes de las gafas, y observa complacido la nueva estantería.

—Un trabajo perfecto, realmente bueno el carpintero [1] —comenta Andrés. Se sienta en la silla al lado de la balanza.

El otro aprovecha la ocasión para hablarle de una cuestión de la mayor importancia.

—Hay mucha gente que es buena, generosa... Tú en cambio...

Andrés se gira de golpe.

—Yo en cambio, ¿qué quieres decir? En este pueblo todos se están volviendo aburridos: haz esto, haz lo otro... Dame dinero... No le cuentes a nadie... —Andrés fija la mirada en Jesús, severo.

—Adelante, pídeme algo también tú.

—Tienes que ayudar a Marcos —dice el farmacéutico en voz baja—. Le he dado dinero y no me lo ha devuelto.

—Seguro, no te lo devolverá. He sabido que tiene poco trabajo —se pasa la mano sobre el pelo blanco.

—Precisamente por eso tienes que venderle el terreno, déjale construir, ganar...

Andrés sonríe, pero sus ojos azules son de hielo.

—¡Solo después de mi muerte podrá empezar a construir!

Va hacia la salida sin saludar. Jesús mira fijamente la puerta y aprieta los puños.

---

1. **carpintero**: persona que trabaja la madera y construye objetos con ella.

Después de leer

Comprensión lectora

1 **Responde a las siguientes preguntas.**

1 ¿Dónde se encuentra Ana y con quién?

2 ¿Cuál es el estado de ánimo de los dos chicos? ¿Por qué?

3 ¿Dónde está Andrés? ¿Qué es lo que hace al principio?

4 ¿Cómo es Jesús?

5 ¿Qué le pide Jesús a Andrés? ¿Qué le responde Andrés?

6 ¿Cómo se va Andrés de la farmacia?

2 **Marca con una X la opción correcta para completar la frase.**

1 Ana y Luis van cogidos
  a ☐ del brazo.
  b ☐ de la mano.

2 No nos quiere dar el dinero para arreglar
  a ☐ las habitaciones.
  b ☐ el tejado.

3 Para esconder las lágrimas, Ana se gira
  a ☐ hacia la playa.
  b ☐ hacia las colinas.

4 Cuando Jesús le dice que hay gente buena, Andrés se gira
  a ☐ lentamente.
  b ☐ de golpe.

5 En el pueblo, todos se están volviendo
  a ☐ aburridos.
  b ☐ peligrosos.

6 Andrés sale de la droguería
  a ☐ sin saludar.
  b ☐ sin mirar a Jesús.

El imperativo

Para el **imperativo singular 2ª persona (tú)**, se usa la **3ª persona del presente de indicativo**. Sirve para aconsejar, pedir, dar órdenes.

Cantar → **canta**   *Beber* → **bebe**   *Escribir* → **escribe**

Algunos imperativos son irregulares:

Hacer → **haz**   *Ir* → **ve**   *Decir* → **di**(me)   *Venir* → **ven**

Gramática

3 **Sustituye cada una de estas expresiones por un imperativo y ponlo en la frase adecuada.**

> **tienes que ir   debes hacer   tienes que darme**
> **tienes que decirme   tienes que ayudar   tienes que contarme**

1 .... dinero para arreglar el tejado.
2 .... a Marcos porque me debe dinero.
3 .... los deberes de matemáticas.
4 .... lo que ha pasado.
5 .... a comprar el pan.
6 .... un cuento.

Léxico

4 **Asocia las palabras de la primera columna con sus contrarias de la segunda.**

1 ☐ odio   a mala
2 ☐ esconder   b antes de
3 ☐ delgado   c divertido
4 ☐ detrás   d egoísta
5 ☐ sentarse   e amor
6 ☐ mayor   f mostrar
7 ☐ mucha   g gordo
8 ☐ buena   h levantarse
9 ☐ generosa   i nada
10 ☐ aburrido   j delante
11 ☐ algo   k menor
12 ☐ después de   l poca

5 Asocia cada palabra a su imagen correspondiente.

a gafas   c carpintero   e balanza
b tejado   d puño   f estantería

Expresión escrita

6 Mirando los dibujos que encuentras en los capítulos, intenta hacer la descripción de dos de los personajes del libro.

Andrés y Jesús el farmacéutico:

- ¿cómo visten?
- ¿cómo son físicamente?
- ¿cómo son caracterialmente?
- ¿cuál es tu opinión sobre cada uno de ellos?

Brindis con sorpresa

—¡Beso, beso, beso! —gritan los invitados.

Hay mucha alegría y mucho ruido. Paula le da un beso a Marcos y sonríe feliz. Todos levantan la copa y celebran a los novios con un brindis, bebiendo cava a su salud.

Los camareros corren de una mesa a otra y sirven platos deliciosos. Como entremeses, gambas a la plancha y varios tipos de quesos; como primer plato, sopa y arroz con verduras; de segundo, cordero al horno con patatas y pez espada; como postre, macedonia de fruta con helado y varios tipos de tarta. Y para acabar, la tarta nupcial.

A un cierto punto, alguien grita:

—¡Atención! ¡Un poco de silencio, por favor! —se oye un murmullo en la sala, después se callan todos.

Un personaje especial, el teniente Roqueta, levanta la vista del plato. El uniforme resalta el físico atlético. El pelo negro, muy corto, enmarca la cara de tez morena. El hombre observa complacido a los presentes.

«Está todo el pueblo, o al menos las personas más importantes: el señor Francisco — el alcalde, el notario, el médico, el farmacéutico...» piensa.

Observa miradas curiosas dirigidas al hombre de pelo blanco. Los novios siguen mirándose en los ojos, felices. Son los únicos que no se preocupan del mundo que los rodea. Andrés ha apartado la silla y ahora, de pie, con la copa en la mano, está por hacer un discurso. El teniente siente el ambiente un poco extraño, una especie de amenaza y de peligro. Seguramente son las ojeadas cargadas de envidia, malas, que hablan por sí solas.

—No deben de quererlo muchos aquí —dice el brigada Morote—. De joven, rompió el corazón de muchas chicas. Al menos así dicen. De repente, un día desapareció para evitar la rabia de padres y hermanos... —mira alrededor y añade—algún chico se le parece extraordinariamente. Los ojos azules son una señal inconfundible. Pocos, en estos pueblos tienen los ojos tan azules. ¿Entiende lo que quiero decir?

—Entiendo, entiendo...

«A lo mejor es un hombre que alguien quiere muerto» piensa el joven guardia civil.

El brigada parece leerle el pensamiento.

—No hay que revivir nunca el pasado y sobre todo no volver nunca al lugar del delito... —dice, y se ríe de la frase, que le parece divertida.

El teniente arquea las cejas. «Muy buen chico» piensa, «pero en cuanto al humorismo es mejor dejarlo.»

—Hoy festejamos a esta pareja —anuncia Andrés. El fotógrafo le sugiere que se acerque a los novios. A sus espaldas, con la cara roja, él continúa:

—Celebramos ellos y... mi regreso —sonríe.

Se dispara el flash de la cámara fotográfica, y muchos cierran los ojos por la luz intensa.

—Vuelvo a la familia para confesar que... —ha sacado del bolsillo un confite y se lo lleva a la boca. El fotógrafo insiste para hacer una foto con toda la familia delante de la tarta nupcial.

—¡Discurso, discurso! —gritan todos.

—Sí, quiero deciros que también yo...

No termina la frase. Cae sobre la mesa sin vida.

Después de leer

Comprensión lectora

1 **Marca con una X si las afirmaciones son verdaderas (V) o falsas (F).**

	V	F
1 En el restaurante, la gente habla en voz alta.	☐	☐
2 De primer plato comen sopa de arroz.	☐	☐
3 De segundo comen carne y pescado.	☐	☐
4 El teniente Roqueta es rubio y de piel blanca.	☐	☐
5 Entre los invitados figura el alcade del pueblo.	☐	☐
6 El teniente siente el ambiente un poco peligroso.	☐	☐
7 Andrés, de joven, tenía mucho éxito con las chicas.	☐	☐
8 Cuando Andrés empieza a leer se cae muerto en el suelo.	☐	☐

2 **Lee el capítulo y di a qué personaje(s) se refiere cada frase.**

1 Corren de una mesa a otra. ....

2 El pelo negro, muy corto, enmarca la cara de tez morena. ....

3 No se preocupan del mundo que los rodea. ....

4 Con la copa en la mano está para hacer un discurso. ....

5 No hay que revivir nunca el pasado y sobre todo no volver nunca al lugar del delito. ....

6 Insiste para hacer una foto con toda la familia. ....

El artículo

El artículo **definido** sirve para hablar de algo que ya conocemos o sabemos que existe.

	Masculino	Femenino
Singular	el	la
Plural	los	las

El artículo **indefinido** sirve para mencionar algo por primera vez o no sabemos que existe.

	Masculino	Femenino
Singular	un	una
Plural	unos	unas

Gramática

3 **Pon el artículo correspondiente en cada una de las frases.**

1   .... camareros corren de una mesa a otra.
2   Se oye un murmullo en .... sala y todos se callan.
3   Andrés está para hacer .... discurso.
4   De joven rompió .... corazón de muchas chicas.
5   Andrés saca .... confite del bolsillo y se lo lleva a la boca.
6   El fotógrafo insiste para hacer .... foto con toda la familia.

Léxico

4 **Crucigrama. Resolviendo las horizontales, aparecerá en la vertical el nombre de la isla donde se desarrolla la acción.**

1   ¿Qué acompañan al cordero al horno?
2   ¿Cómo es la piel de la cara del teniente Roqueta?
3   ¿Cómo se llama el alcade del pueblo?
4   ¿Cómo es el físico del teniente?
5   ¿Quiénes sirven los platos en el banquete?
6   ¿De dónde saca el confite Andrés?
7   Los ojos azules son una señal ....
8   Andrés muere sobre la ....

Expresión escrita

5 **Has invitado a unos amigos a cenar en tu casa. Describe el menú que vas a preparar.**

1   Entremeses: ....
2   Primer plato: ....
3   Segundo plato: ....
4   Postre: ....
5   Bebidas: ....

Comprensión auditiva

DELE **6** Vas a escuchar cuatro diálogos breves. De cada diálogo tienes que elegir una de las tres respuestas que se te proponen.

1 ¿Qué toma Ana de primer plato?

A   B   C

2 ¿Qué toma Marcos?

A   B   C

3 ¿Qué toma Ana de postre?

A   B   C

4 ¿Qué le pide Marcos al camarero?

A   B   C

Las piedras preciosas

Las piedras preciosas son minerales que se tallan y se pulen para, luego, utilizarlas en bisutería, joyería y orfebrería.

Para ser considerada piedra preciosa, un mineral tiene que reunir las siguientes cualidades: brillo o luminosidad, dureza, inalterabilidad y rareza. Las piedras preciosas se pueden clasificar en tres grandes grupos: las piedras preciosas propiamente dichas (diamante, zafiro, rubí y esmeralda, etc.), las piedras finas (aguamarina, lapislázuli, jade, ópalo, etc.) y las piedras orgánicas (ámbar, coral, perla, etc.).

¡En todo el mundo, no existen dos piedras preciosas idénticas!

Cada una tiene su historia y conserva las huellas [1] de años, de siglos, y también de las eras geológicas que ha atravesado.

---

1. **huella**: signo o vestigio que deja algo.

En nuestros días, las piedras preciosas se utilizan fundamentalmente para la creación de joyas [2] o de objetos ornamentales, pero antiguamente se les atribuían virtudes extraordinarias y propiedades curativas que estaban descritas en los textos de medicina y en los viejos tratados de la Edad Media.

Hoy en día, numerosas actividades gravitan en torno a las piedras preciosas: buscadores, comerciantes, gemólogos, joyeros...

Algunas cosas curiosas...

Ciertas piedras están asociadas a los aniversarios de bodas. Por ejemplo, si hace 16 años que estáis casados, celebráis vuestras bodas de zafiro, si hace 40 años, vuestras bodas de esmeralda, si hace 50 años vuestras bodas de oro, si hace 60 años, vuestras bodas de diamante.

El rubí: de color rojo sangre, simboliza la pasión. Es muy raro y precioso. En sánscrito, [3] el rubí se llama *ratnaraj*, que traducido quiere decir: «El rey de las piedras preciosas». Los principales yacimientos se encuentran en Myanmar.

El zafiro: puede ser azul, amarillo, naranja, violeta o verde. Pero el color más apreciado es el azul. Según antiguas creencias, estas piedras pueden conservar su color inalterado, únicamente si las llevan personas honestas y sinceras.

---

2. **joya**: objeto de adorno personal hecho con oro o piedras preciosas.
3. **sánscrito**: antigua lengua de India.

La esmeralda: de color verde, está vinculada a numerosas creencias. Los incas la consideraban una piedra sagrada, los Indios decían que traía felicidad y curaba las enfermedades. Nerón, que era miope, tenía la costumbre de seguir los combates de los gladiadores a través de una lente verde cóncava de esmeralda. Hoy en día, Colombia es la productora mundial de esmeraldas.

El diamante: es el mineral más duro y brillante que existe en el mundo. No en vano se dice que el diamante es eterno y que su nombre significa «indomable, inflexible».

Las perlas: empiezan a nacer cuando una ostra recubre un cuerpo extraño de bellas capas de madreperla. Tiempo atrás era solo la casualidad, y solamente ella, la que regulaba su nacimiento: ¡se necesitaban miles de ostras para encontrar una que contenía una perla! Actualmente, la mayor parte de ellas son cultivadas: es la mano del hombre la que introduce una bolita [4] de madreperla en el interior de la ostra, para favorecer y aumentar su producción. La mayor parte de las perlas cultivadas viene de Japón.

El aguamarina: posee todos los matices [5] del azul. Según las tradiciones antiguas, es bueno llevarla por la sencilla razón que garantiza un buen casamiento

---

4. **bola:** cuerpo esférico de cualquier materia.
5. **matiz:** cada uno de los grados o tonos de un mismo color.

Por lo tanto, es la piedra ideal para los enamorados y, al mismo tiempo, para los casados.

El jade: 3.000 años antes de nuestra era, los chinos ya la consideraban una piedra majestuosa. El jade servía para conservar los cuerpos después de la muerte. Se encuentran en las tumbas antiguas de los emperadores, muertos hace miles de años. Los chinos ponían fragmentos de estas piedras en los cimientos de las casas para proteger a los que vivían allí. Poseer un jade ha sido siempre una señal exterior de riqueza. Generalmente, el jade es de un verde más o menos marcado.

Comprensión lectora

1 **Lee con atención el dossier y elige la respuesta adecuada.**

1 La perla es un piedra

    a ☐ preciosa.   **b** ☐ orgánica.

2 Antiguamente, las piedras preciosas se utilizaban en

    a ☐ arquitectura.   **b** ☐ medicina.

3 La piedras preciosas se asocian

    a ☐ a la edad.   **b** ☐ al aniversario de bodas.

4 El gran productor de esmeraldas es

    a ☐ Colombia.   **b** ☐ Myanmar.

5 La piedra que asegura un matrimonio feliz es

    a ☐ el lapislázuli.   **b** ☐ el aguamarina.

6 Los chinos conocen el jade

    a ☐ hace 5.000 años. **b** ☐ hace 3.000 años.

¡Oscuridad total!

La foto de los Reyes está en el centro de la pared. Debajo de la **foto, Roqueta está leyendo el periódico.**

—¡Se acabó la paz! —comenta el teniente—. De Santa Cruz de Tenerife, de Las Palmas de Gran Canaria, de Madrid y Barcelona han llegado los periodistas. En mi vida he visto tantos pelmazos. Ven aquí, vamos a intentar entender algo de todo lo que está pasando.

—A sus órdenes —exclama el brigada Morote. Para él, cada palabra del jefe es una orden.

Morote espera con las manos cruzadas sobre el pecho.

Sabe muy bien que cuando el jefe piensa puede permanecer en silencio hasta veinte minutos. Esta vez bastan cinco.

—¿Qué ha dicho el médico, cuál es el contenido del parte médico?

—Envenenamiento: veneno para ratas, parecido a la estrictina.

—Extraño, habría dicho infarto... —el teniente mira a Morote directamente en los ojos—. ¿Qué piensas?

—Sin ninguna duda, homicidio.

—Precisamente cuando estaba por revelar un hecho importante le han cerrado la boca para siempre —añade el teniente.

—Pero ¿por qué no me he quedado en Aragón, en mi pequeño pueblo, en Jaca? Solamente alguna riña de vez en cuando, disputas que se resuelven rápidamente...

—También la isla de Tenerife es un sitio tranquilo.

«Tranquilo y ventoso» piensa el teniente. «Ventoso, sobre todo en invierno. ¡Cómo echo de menos el clima y la tranquilidad de Jaca, no veo la hora de irme!»

Siente una fuerte nostalgia, pero reacciona:

—¡Basta! Ahora vamos a resolver este caso. Después pediré el traslado.

Suspira y al mismo tiempo pregunta:

—¿Hay sospechas, indicios... alguna pista... algo para empezar la investigación?

El brigada resume con paciencia:

—La víctima ha sido envenenada.

—Esto ya lo sé.

—Lo extraño es que no se sabe cómo.

—Explícate mejor.

—Vale, todas las investigaciones en el sitio del delito han dado resultado negativo: no se ha encontrado el veneno en ninguna parte.

—¿Una inyección?

—Imposible. En primer lugar, el hombre no ha gritado. En segundo lugar no hay muestras de una inyección en su cuerpo.

—¿Habéis controlado bien su vaso?

—Sí. Solo tenemos que esperar. Los resultados de los exámenes de laboratorio que completan el parte médico, llegarán dentro de unos quince días.

De repente, el teniente Roqueta se levanta.

—¡Bajo nuestros ojos, bajo nuestros ojos! —exclama—. Estabas tú también. ¿Quién se le ha acercado?

—Vamos a ver, los novios... Podemos excluirlos. Siempre han permanecido sentados. El camarero... ¡No! Ha pasado rápidamente con los platos. Luis con Ana. Ella tenía el ramo de la esposa en la mano y él la abrazaba. Sin duda, no son ellos los asesinos.

—¿El fotógrafo?

—¡No! Estaba a una cierta distancia para hacer las fotos.

—¿Y los otros?

—Señor teniente, al lado del señor Andrés estaban casi todos.

—¡Todo el pueblo! ¡Todo el pueblo! ¡Y ni siquiera la sombra de un indicio!

Después de leer

Comprensión lectora y auditiva

8 **1** **Escucha la grabación del capítulo y elige la respuesta adecuada.**

1 El teniente Roqueta está leyendo

  a ☐ un periódico.

  b ☐ un diario.

  c ☐ una novela.

2 El teniente tiene nostalgia

  a ☐ de la grande ciudad.

  b ☐ de su pequeño pueblo en Aragón.

  c ☐ de su familia.

3 El veneno que ha matado a Andrés

  a ☐ estaba en el vaso.

  b ☐ se encontraba en un plato.

  c ☐ no se ha encontrado todavía.

4 Los resultados de los análisis llegarán dentro de

  a ☐ diez días.

  b ☐ dos semanas.

  c ☐ un mes.

5 El jefe, antes de responder, permanece en silencio

  a ☐ veinte minutos.

  b ☐ cinco minutos.

  c ☐ un cuarto de hora.

6 Andrés ha muerto

  a ☐ apuñalado.

  b ☐ estrangulado.

  c ☐ envenenado.

7 Un poco antes de morir, Andrés estaba para

  a ☐ pedir disculpas.

  b ☐ revelar un secreto.

  c ☐ abandonar el restaurante.

2 Escucha la primera parte del capítulo y completa el texto.

La foto de los Reyes está en el centro de la (**1**) ....

Debajo de la foto, Roqueta está (**2**) .... el periódico.

—¡Se acabó la (**3**) .... ! —comenta el teniente—. De Santa Cruz de Tenerife, de Las Palmas de Gran Canaria, de Madrid y Barcelona han llegado los (**4**) .... En mi vida he visto tantos pelmazos. Ven aquí, vamos a (**5**) .... entender algo de todo lo que está pasando.

—A sus órdenes —exclama el brigada Morote. Para él, (**6**) .... palabra del jefe es una orden.

Morote (**7**) .... con las manos cruzadas sobre el pecho.

Sabe muy bien que cuando el jefe (**8**) .... puede permanecer en silencio hasta (**9**) .... minutos. Esta vez bastan cinco.

Gramática

3 Tienes 10 frases. En cada frase hay en letra negrita una palabra que no es adecuada. Sustitúyela por alguna de las palabras de la lista.

a de	**d** es	**g** previsto	**i** cuando
b algo	**e** después de	**h** nada	**j** va
c te	**f** cualquiera		

1. ☐ El profesor no sabe a qué hora **está** la reunión.
2. ☐ Es mejor tener **cogido** otro sitio por si hace frío.
3. ☐ Me parece que no necesito escribir **alguno** por este lado.
4. ☐ Lleva **nada** en la bolsa pero no sé lo que es.
5. ☐ **Si** estaba desayunando me llamó.
6. ☐ Puedes cogerte **todos** de los discos. Ahora no los necesito.
7. ☐ Me han dicho que **tiene** a nadar todos los fines de semana.
8. ☐ Me gusta mucho salir a pasear **porque** comer.
9. ☐ Hemos ido a ver una película **para** miedo.
10. ☐ Es mejor que **os** los guardes en el bolsillo del patalón.

Léxico

4 Todas las palabras pertenecen al campo de la meteorología. Asocia cada palabra a su imagen correspondiente.

a la niebla   **d** la lluvia   **g** el sol

b el granizo   **e** las nubes   **h** la nieve

c el viento   **f** un relámpago   **i** el hielo

Expresión escrita

5 Eres un periodista y decides hacer algunas preguntas a la gente del pequeño pueblo, relacionadas con la muerte de Andrés. Imagina los diálogos y luego escribe un artículo para el periódico.

6 ¿Te gusta la ciudad o el pueblo donde vives? Explica por qué.

Antes de leer

1 Las palabras siguientes se utilizan en el capítulo seis. Asocia cada palabra a la definición correspondiente y comprueba tus respuestas a lo largo del diálogo.

a	escaparate	e	serrar
b	a flote	f	maleta
c	deuda	g	vacío
d	tabla	h	cita

1 ☐ Abismo o precipicio.

2 ☐ Cortar o dividir con una sierra.

3 ☐ Espacio acristalado que sirve para exponer mercancías.

4 ☐ Pieza de madera plana, poco gruesa.

5 ☐ Obligación de pagar, devolución de dinero.

6 ☐ A la luz o a la vista.

7 ☐ Caja con cerradura que se usa para llevar ropa u objetos personales durante el viaje.

8 ☐ Acuerdo entre dos o más personas para verse en un sitio.

Cita con el destino

En el escaparate de la farmacia de Jesús, hay ya muchos  productos solares, lo cual quiere decir que el verano se acerca. No hay clientes y él aprovecha para limpiarse las gafas.

Alguien entra y Jesús dice con un hilo de voz:

—Oh, eres tú. Cierra la puerta —mira alrededor para ver si hay alguien—. Quería hablar contigo —continúa y sonríe irónico.

—¿Y qué querías decirme?

—Necesito dinero.

—¿Y qué tengo que ver yo? —comenta la otra persona con voz agresiva.

—Venga, hombre, has entendido que sé todo. He descubierto tu secreto, sé cómo ha muerto Andrés, y por lo tanto serás precisamente tú quien me dará el dinero. Sé todo.

—Todo... ¿Qué quieres decir? ¡Habla claro! ¿Qué es lo que sabes?

—Uno más uno son dos. La verdad siempre sale a flote. Basta usar la lógica.

—No entiendo.

—Mira, un elemento es el veneno para ratas, y el otro es un hombre que muere... envenenado, parece ser —se le escapa una risita—. Me lo ha dicho el teniente.

—Sigo sin entender...

—Si tú no entiendes, será Roqueta el que entenderá cuando le lleve el folio con la lista de los clientes a los que he vendido el veneno para ratas.

—No soy el único, habrá otros...

—¡No, solo tú!

—¡Tienes que probarlo!

—No yo, lo hará la Guardia Civil.

—¿Cuánto necesitas?

El farmacéutico escribe la cifra en un papel.

—¡Estás loco! ¡No tengo todo ese dinero!

—Lo vas a encontrar, lo vas a encontrar. Si no...

—Déjame un poco de tiempo.

—No queda. Tengo que pagar una deuda de juego. Si no pago me cortan el cuello. Esta noche tienes que darme el dinero.

La cara que tiene delante es blanca como el mármol.

—Elige tú el lugar.

—A medianoche, en el viejo molino.

Después de estas palabras, el asesino sale deprisa de la farmacia y desaparece.

Las campanas de la iglesia tocan la medianoche. Por un momento, esconden un ruido débil pero constante. Proviene de las tablas del pequeño puente que une el sendero al viejo molino. Alguien las está serrando.

Entre tanto, un hombre con un impermeable oscuro está llegando por el sendero a través del bosque. El viento sacude las ramas de los árboles y llueve mucho. Ha llegado al puente. Delante está la forma oscura del molino en ruinas.

—¿Dónde estás? —grita. Se le cae la capucha. Un rayo de luna entre las nubes ilumina su cara.

—Aquí, en el molino. ¡Atraviesa el puente! —responde una voz ronca—. Tengo el dinero, ven a recogerlo.

—¿Has visto que no ha sido difícil? Además tienes los diamantes de Andrés. Si los vendes podrás pagar tu deuda —dice el farmacéutico, mientras avanza hacia el destino, paso a paso.

—Te equivocas, no los tengo. No los he encontrado.

—¿Dónde pueden estar?

—En la posada. Quizás en su habitación, en alguna maleta...

El farmacéutico está convencido de poder encontrar los diamantes, pero no ve que algo se le ha caído del impermeable y, sobre todo, no se da cuenta que las tablas del pequeño puente están a punto de romperse. Después de pocos instantes cae al vacío con un grito.

Después de leer

Comprensión lectora

1 **El farmacéutico y el desconocido hablan. ¿Quién dice cada una de las frases?**

F: farmacéutico; **D**: desconocido.

1 ☐ ¿Dónde estás?

2 ☐ Necesito dinero.

3 ☐ Aquí en el molino. ¡Atraviesa el puente!

4 ☐ ¿Y qué tengo que ver yo?

5 ☐ He descubierto tu secreto... Sé todo.

6 ☐ ¡Estás loco! ¡No tengo ese dinero!

7 ☐ La verdad siempre sale a flote.

8 ☐ Además tienes los diamantes de Andrés.

2 **Responde a las siguientes preguntas.**

1 ¿En qué estación suceden los hechos narrados en este capítulo?

2 Poco antes de la llegada del desconocido, ¿qué está haciendo el farmacéutico?

3 ¿Quién está en la farmacia cuando llega el desconocido?

4 ¿Para qué ha servido el veneno para ratas?

5 ¿Por qué el farmacéutico pide dinero al desconocido?

6 ¿Cómo reacciona el desconocido?

7 ¿Cuál es el lugar elegido para el encuentro? ¿A qué hora?

8 ¿Qué le pasa al farmacéutico pocos instantes antes de caer en el vacío?

9 ¿Cómo va vestido el hombre que llega al molino?

10 ¿Qué tiempo hace?

11 ¿Por qué el farmacéutico se cae al vacío?

Gramática

3 Completa las frases siguientes con los adjetivos interrogativos del recuadro.

> qué   quién   cuál   cuánto

1 ¿............... quieres decirme?

2 ¿............... ha entrado en la farmacia?

3 ¿............... tiempo tenemos que esperar?

4 ¿............... de los dos chicos es tu mejor amigo?

5 ¿Con .... vas a ir al cine esta noche?

6 ¿............... película vais a ver?

7 ¿............... es el actor principal?

8 ¿............... tiempo ha durado el espectáculo?

9 ¿............... de las dos camisas prefieres? ¿La blanca o la amarilla?

10 ¿............... cuestan estos pantalones?

4 Elige la opción correcta.

1 Creo que se me ha caído .... del impermeable.

    a alguien   **b** algo   **c** nada

2 Traer el dinero no ha .... muy difícil.

    a estado   **b** sido   **c** siendo

3 .... pocos instantes, cae al vacío.

    a después   **b** antes de   **c** después de

4 Un rayo de luna ilumina .... cara.

    a la su   **b** suya   **c** su

5 El farmacéutico .... convencido de encontrar los diamantes.

    a es   **b** ha   **c** está

6 ¿Dónde .... estar los diamantes?

    a puede   **b** pueden   **c** puedes

7 En el escaparate de la farmacia .... muchos productos de cremas solares.

    a están   **b** son   **c** hay

8 Jesús aprovecha .... limpiarse las gafas.

    a por   **b** para   **c** con

Léxico

5 Marca con una ✗ el significado de las siguientes expresiones contenidas en el capítulo.

1 Con un hilo de voz
   - a ☐ sin respirar
   - b ☐ en voz baja
   - c ☐ coser con hilo y aguja

2 Habla claro
   - a ☐ usa las palabras de manera adecuada
   - b ☐ habla más alto
   - c ☐ dime lo que piensas realmente

3 Uno más uno son dos
   - a ☐ la cifra es demasiado baja
   - b ☐ la conclusión es obvia
   - c ☐ los asessinos son dos

4 La verdad siempre sale a flote
   - a ☐ no es fácil saber la verdad
   - b ☐ antes o después, la verdad se sabe siempre
   - c ☐ la verdad no se conoce nunca

5 Si no pago me cortan el cuello
   - a ☐ si no pago, me amenazan
   - b ☐ si no pago, no me prestan más dinero
   - c ☐ si no pago me matan

6 No se da cuenta
   - a ☐ no posee una cuenta en el banco
   - b ☐ no sabe, no percibe
   - c ☐ no se fía de nadie

7 Están a punto de romperse
   - a ☐ se han roto
   - b ☐ dentro de un instante se van a romper
   - c ☐ se están rompiendo en este momento

6 Completa las palabras siguientes.

1 una r _ _ _

2 una c _ _ _ _ _ _

3 una _ _ _ _ _ h _

4 unas t _ _ _ _ _

5 un _ _ l _ _ _

6 un e _ _ _ _ _ _ _ t _

7 un _ _ _ n _ _

8 un i _ _ _ _ m _ _ _ _ _

9 unas r _ _ _ _

 7 Escucha estas palabras que salen en el texto y di si se escriben con -g, o con -j.

1 ...esús

2 ...afas

3 ...uardia

4 pa...ar

5 ...uego

6 ele...ir

7 vie...o

8 al...uien

9 al...o

10 ...rito

Expresión escrita

8 Según tú, ¿quién es el desconocido? Formula una hipótesis y explica por qué.

PROYECTO **INTERNET**

Parques nacionales de Canarias: Parque Nacional del Teide

El Parque Nacional del Teide es uno de los parques más bonitos de Europa. Busca en Internet las páginas web que hablan de este parco nacional y después resuelve los ejercicios siguientes.

Responde a las siguientes preguntas.

1 ¿En qué isla está situado el Parque Nacional del Teide?

2 ¿Cuántas especies de plantas se encuentran en peligro de extinción?

3 Di un animal autóctono de la zona del parque.

4 ¿Cómo se llamaba el último habitante de Las Cañadas que conservaba el modo de vida tradicional?

5 ¿A cuántos kilómetros está el aeropuerto más cercano? ¿En qué ciudad está?

6 ¿Se puede ir al parque en tren?

7 Si quieres comer y dormir en el parque, ¿dónde puedes hacerlo?

8 ¿Cuánto tiempo permanece nevado el parque?

9 ¿Qué temperatura se alcanza en los días de más calor?

10 ¿En qué consiste el fenómeno de la **cencellada**?

¿Dónde están los diamantes?

—¡Echa fuera a ese periodista!

—El teniente no puede recibirle.

El hombre protesta, pero lo empujan fuera de la puerta del cuartel.

—¡Cierra con llave!

—Ya está.

El brigada Morote mueve la cabeza, impresionado. Nunca ha visto al jefe de esa manera.

—Hemos encontrado...

—Nada, como siempre.

—Le decía que en la farmacia...

—¡Habla de una vez!

—Un cuadernillo, una pequeña agenda... El pobre farmacéutico se apuntaba las citas, los encuentros. La noche que murió había escrito: 'a media noche en el molino'. ¿Nos sirve esta pista?

El joven mira fuera de la ventana y sonríe:

—Claro que nos sirve. Vamos al lugar de la desgracia.

Media hora después, los guardias civiles están en el viejo molino.

—¡Mi teniente, una huella!

—Puede pertenecer a un hombre o a una mujer... Quién sabe desde cuánto tiempo está aquí.

—No mucho. El terreno se ha secado completamente. La lluvia no la ha borrado.

—Vamos a buscar otras pistas —Roqueta se está dirigiendo al río.

En la orilla, un pescador lanza el anzuelo al agua.

—Teniente, ¿le gusta pescar?

—Estoy aquí por trabajo con el brigada —el joven hace un ademán con la cabeza.

—¿Ha sabido del incidente?

—Sí, lo siento mucho. Era una persona tan amable... Tenía solo un defecto, el vicio del juego. Y perdía, perdía mucho últimamente. En el pueblo lo sabían todos.

—¿Ha pescado algo? —los ojos oscuros del teniente miran el cubo.

—Nada. Tiran de todo aquí dentro: zapatos, latas, botellas... Hasta ahora he pescado solo este pequeño bloc de notas con la publicidad de una medicina contra los dolores...

Al pescador no le da tiempo a terminar la frase, que el teniente le quita de la mano el bloc. Aunque está mojado, todavía es

posible leer algunos nombres de lugares y personas, puntos interrogativos y la palabra subrayada 'diamantes'. Y la caligrafía es la del farmacéutico. A Roqueta no le queda duda: esta es una buena pista.

Una hora después, en la gran cocina de la Posada del Viejo Olmo, el teniente charla con Luis.

—Ha hecho bien en hablar conmigo. Mi madre todavía está trastornada por la muerte de su hermano, y mi hermana Paula está a punto de partir: no tiene tiempo para sus preguntas —se sienta y suspira—. Todos sabíamos que el tío era rico. Pero no era generoso.

—¿Por qué?

—Le había pedido dinero para la posada, para arreglar el tejado... No me lo ha dado —suspira—. No me lo ha dado a pesar de que seguramente tenía un pequeño tesoro: piedras preciosas, sobre todo diamantes.

—¿Se lo ha dado a alguien?

—No. No creo.

—¿Dónde puede estar?

—No tengo idea. Ciertamente mamá y yo lo hemos buscado. Parece que se ha volatilizado.

Después de leer

Comprensión lectora y auditiva

1 **Vuelve a leer el capítulo y señala con una ✗ la respuesta adecuada.**

1 Un periodista intenta entrevistar
- **a** ☐ a Paula.
- **b** ☐ al farmacéutico.
- **c** ☐ al teniente Roqueta.

2 El teniente le ordena cerrar la puerta
- **a** ☐ al brigada.
- **b** ☐ al periodista.
- **c** ☐ al farmacéutico.

3 La frase *a medianoche en el molino* se encuentra
- **a** ☐ en una hoja en la escribanía de Morote.
- **b** ☐ en la agenda del farmacéutico.
- **c** ☐ en un cuaderno de Roqueta.

4 En el lugar de la desgracia, los guardias civiles encuentran
- **a** ☐ un bloc de notas.
- **b** ☐ dinero.
- **c** ☐ un arma.

5 Los guardias civiles encuentran una huella
- **a** ☐ en el cuartel.
- **b** ☐ en la posada.
- **c** ☐ en el viejo molino.

6 La huella pertenece
- **a** ☐ a un hombre.
- **b** ☐ a una mujer.
- **c** ☐ no se sabe.

13 **2** Escucha la parte final del capítulo y completa el texto.

Una hora (**1**) ...., en la gran cocina de la Posada del Viejo Olmo, el teniente charla con Luis.

—Ha hecho bien en hablar (**2**) .... Mi madre (**3**) ....
está trastornada por la muerte de su hermano, y mi (**4**) ....
Paula está a punto de partir: no tiene tiempo para sus (**5**) ....
—se sienta y suspira—. Todos sabíamos que el tío (**6**) .... rico.
Pero no era generoso...

—¿Por qué?

—Le había (**7**) .... dinero para la posada, para arreglar el
(**8**) .... No me lo ha dado —suspira—. No me lo ha dado a
pesar de que seguramente tenía un (**9**) .... tesoro: piedras
preciosas, sobre todo diamentes.

—¿Se lo ha dado a (**10**) ....?

—No. No creo.

—¿Dónde puede estar?

—No tengo idea. Ciertamente mamá y yo lo hemos (**11**) ....
Parece que se ha volatilizado...

DELE **3** Rellena los huecos del texto siguiente con una de las tres opciones que
se te proponen.

JUAN: Buenos días, (**1**) .... Juan, el albañil.

HELENA: Ah, buenos días, Juan. Gracias (**2**) .... venir tan pronto.

JUAN: Me han dicho que tiene (**3**) .... prisa.

HELENA: Sí, tenemos esta posada y creemos que puede quedar
(**4**) .... bonita si la arreglamos un poco.

JUAN: Sí, (**5**) .... un edificio precioso. ¿Tiene ya alguna idea?

HELENA: Algunas, pero no sé... Le explico lo que quiero y usted me dice
si se puede hacer o no. ¿ (**6**) .... parece bien?

JUAN: Claro que sí.

HELENA: Vale, vamos a empezar (**7**) .... el comedor. Como puede
ver, las ventanas son muy pequeñas. Me gustaría hacerlas más
grandes para poder admirar el panorama.

JUAN: Yo creo que no hay (**8**) .... problema.

HELENA: También quiero tirar esa pared y unir la cocina con el salón.

JUAN:¿Y (**9**) .... aquí el comedor? Me parece bien. ¿Algo más?

HELENA: Los dormitorios me (**10**) .... como están, pero es necesario (**11**) ....

JUAN: De acuerdo. ¿Y el suelo? (**12**) .... me parece que es muy bonito. Yo no lo cambiaría.

HELENA: Yo tampoco quiero tocarlo. (**13**) .... limpiarlo bien.

JUAN: ¡Muy bien! ¿Algo más?

HELENA: Mi hijo dice que no le cabe el coche en el garaje y quiere hacer uno un poco más (**14**) .... ¿Se puede hacer?

JUAN: Ningún problema.

HELENA: Pues eso es todo. Cuando (**15**) .... el presupuesto me llama y hablamos de nuevo.

JUAN: Muy bien, señora, (**16**) .... de unos días la llamo. Encantado de haberle conocido. Adiós.

HELENA: Igualmente y muchas gracias.

1	a	estoy	b	llamo	c	soy
2	a	de	b	por	c	para
3	a	tanta	b	una	c	bastante
4	a	mucho	b	muy	c	tanto
5	a	es	b	hay	c	está
6	a	me	b	le	c	se
7	a	para	b	por	c	al
8	a	ninguno	b	ningún	c	algún
9	a	salir	b	ponerse	c	poner
10	a	parece	b	gusten	c	gustan
11	a	pintarlos	b	pintarles	c	pintarlas
12	a	para	b	a mí	c	de
13	a	incluso	b	solo	c	aunque
14	a	estrecho	b	ancho	c	pequeño
15	a	tendrá	b	tenga	c	tenía
16	a	dentro	b	desde	c	en

Gramática

4 Completa cada frase con los los verbos *pedir* o *preguntar*, según convenga, y en el tiempo adecuado.

1   Yo, de segundo plato voy a .... una paella valenciana .

2   Solo te .... una cosa: compórtate bien.

3   El prof me ha .... cuál es la capital de España.

4   Mi amigo Luis me ha .... un favor: si puedo acompañarlo al dentista, porque tiene miedo.

5   Cuando no sé algo se lo .... a mi amiga Juliana que es muy lista.

6   Alicia me .... siempre el bolígrafo en clase.

Léxico

5 Asocia cada objeto con el material de que se compone.

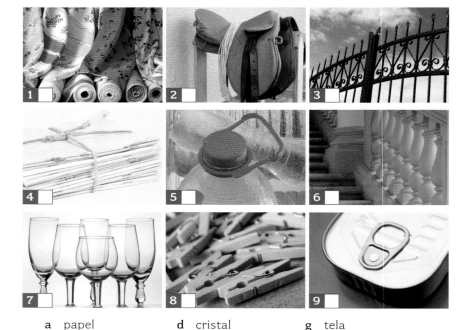

a	papel	d	cristal	g	tela
b	plástico	e	madera	h	cuero
c	aluminio	f	hierro	i	mármol

La trampa

Hay silencio en la Posada del Viejo Olmo. Roqueta ha decidido preparar una trampa: alguien buscará los diamantes y las otras piedras preciosas de Andrés... y ese alguien, seguramente es el asesino. Hace horas que espera en el dormitorio, detrás de la gran cortina de la ventana. Siente pasos en el pasillo. Se abre la puerta, entran en la habitación un hombre y una mujer.

—Te lo he dicho —dice la mujer—, he buscado por todas partes. Aquí no están.

—Pero entonces, ¿dónde están? —pregunta el otro.

El teniente ha reconocido las voces de Luis y de la hermana Paula.

—Vamos a dejarlo, quizás no era tan rico, o no tenía los diamantes, las esmeraldas, ópalos... quizás...

—Quizás era realmente rico y Marcos...

—¿Qué significa? —la chica mira fijamente a su hermano con rabia—. ¿Qué quieres decir? —repite en voz alta.

—Responde a una pregunta muy fácil. ¿A quién le conviene la muerte del tío?

—¡A nosotros!

—Es cierto. Los terrenos, al menos esos los vamos a heredar nosotros. Tú tendrás tu parte y tu marido podrá empezar a construir.

—No pensarás que Marcos...

—¡Pues sí, lo pienso!

—¡Vete! ¡No me hables nunca más! ¡Nunca más!

Se oyen pasos rápidos, casi una carrera. La puerta se queda abierta.

—¡Espera, espera!

Los dos corren por el pasillo.

El joven guardia civil se acerca a la ventana y se aleja enseguida. Helena, la dueña de la posada, está llegando precisamente en ese momento junto con Ana y Marta. Se oyen sus voces en las escaleras. Con un suspiro, Roqueta vuelve a ponerse detrás de la cortina.

—En el pueblo se dice que ha sido tu gran amor —observa Ana, mientras entra en el dormitorio.

—Se dicen tantas cosas... —por el tono de la voz, Marta parece asustada—. De todas formas, estamos aquí para ayudar a Helena a poner orden y a liberarse de las cosas de Andrés, no para perder tiempo con conversaciones estúpidas.

—¡No entiendo por qué te ofendes por una simple frase!

—No me ofendo, pero no quiero estar en la boca de todos, ¿está claro?

Helena las interrumpe:

—No peleéis, os lo ruego. Es tan doloroso poner en orden las cosas de mi hermano... No podéis crearme otros problemas...

Suena el teléfono en el piso de abajo.

—Voy a responder. Vuelvo enseguida —dice Helena.

—Voy contigo —añade Ana.

Tras algunos minutos, unos pasos se dirigen a la habitación, que se cierra. El teniente escucha atentamente. Parece que... Sí, alguien abre y cierra unos cajones. Luego es el armario el que hace ruido. Una chaqueta cae al suelo. De los bolsillos cae un confite, luego un pedazo de corteza y una hoja. La mujer que hace algunos minutos está obsevando Roqueta, se agacha, recoge la hoja, pero no ve el confite, a pocos centímetros del pie del guardia civil. Observa la hoja entre las manos...

—Es del olmo —se dice, y sale inmediatamente.

El teniente sale de detrás de la cortina y después de haber recogido el confite susurra:

—Extraño, muy extraño.

Después de leer

Comprensión lectora y auditiva

14 **1** Escucha el capítulo ocho y marca con una ✗ la opción correcta.

1 Hace horas que el teniente espera detrás

a ☐ del armario.

b ☐ de la cortina.

c ☐ de la puerta.

2 Alguien va a la habitación de Andrés para buscar

a ☐ dinero.

b ☐ cartas.

c ☐ diamantes.

3 El teniente reconoce las voces de

a ☐ Marcos y Ana.

b ☐ Luis y Paula.

c ☐ Helena y Luis.

4 El teléfono suena

a ☐ en la habitación de Andrés.

b ☐ en la cocina.

c ☐ en el piso de abajo.

5 Alguien abre el armario y cae al suelo

a ☐ una camisa.

b ☐ un abrigo.

c ☐ una chaqueta.

6 La hoja que observa el teniente

a ☐ es una hoja de periódico.

b ☐ es la hoja de un árbol.

c ☐ es la hoja de un chopo.

Verbos irregulares diptongados

Algunos verbos de las tres conjugaciones con una -e o una -o en la raíz del infinitivo diptongan estas dos vocales: e→ie / o→ue en todas las personas menos la 1ª y 2ª del plural.

Cerrar → cierro   Volver → vuelvo   Sentir → siento

Gramática

2 Todos estos verbos diptongados salen en el capítulo. Pon cada uno en la frase adecuada y en el tiempo correspondiente del presente o del imperativo.

a entender   c volver   e pensar   g tener
b convenir   d rogar   f poder   h querer

1 Teresa no .... tiempo para ver la tele.

2 Cuando estoy de vacaciones .... en mis compañeros del colegio.

3 Mi papá .... del trabajo a las 6.30 de la tarde.

4 Mi hermana no .... ir a la piscina porque el agua está demasiado caliente.

5 No nos .... hacer tarde, porque si no, tenemos que volver a pie ya que a esa hora, no pasan autobuses.

6 Nosotros no .... ir al cine porque no tenemos dinero para sacar las entradas.

7 Antonio, te .... que no hables en voz alta.

8 Los de la 2ª B, no .... el francés porque no lo hemos estudiado.

3 Completa cada frase con los verbos *encontrar* o *buscar* según convenga y en el tiempo adecuado.

1 Paula ha .... los diamantes por todas partes.

2 .... una compañera para compartir piso.

3 Mamá, no .... mis zapatillas de deporte.

4 Porque no las has .... bien.

5 Finalmente he .... el anillo que había perdido esta mañana.

6 Alicia, no .... las llaves de casa y no puedo entrar.

DELE **4** En las frase que vas a leer hay una palabra que no es correcta y que está en negrita. Debers sustituirla por otra palabra de la columna de la derecha.

a	estarás	c	cada	e	poco	g	por	i	ha hecho
b	venga	d	qué	f	repente	h	cómo	j	por

1. ☐ Es difícil que **hace** antes del domingo.
2. ☐ ¿A **cuáles** personas has invitado a comer?
3. ☐ **Todo** chico lleva su libro de historia.
4. ☐ No sé **cuánto** ha ganado tanto dinero.
5. ☐ Ese periodista sabe **nada** de historia.
6. ☐ Voy a mandar esta carta **en** correo urgente.
7. ☐ Estaba viendo la tele y de **momento** se fue la luz.
8. ☐ Fui al cine ayer **en** la tarde.
9. ☐ Todavía no **sabe** los ejercicios de matemáticas.
10. ☐ Dentro de una semana **hablarías** mucho mejor.

Léxico

DELE **5** ¿En qué situación dirías las siguientes expresiones?

1. —Escríbeme una carta en cuanto llegues.

   Tu amigo...
   a ☐ ha llegado de un viaje.
   b ☐ le aconseja un viaje.
   c ☐ va a hacer un viaje.

2. —¿Me dices que has perdido el anillo de oro que te regalé? ¡Qué pena!

   Tú estás...
   a ☐ contento.
   b ☐ triste.
   c ☐ aburrido.

3. —Hace un año que terminé la carrera de Derecho.

   Tú eres...
   a ☐ médico.
   b ☐ abogado.
   c ☐ veterinario.

4 —A las nueve en el aparcamiento; pero sé puntual, por favor.

Tú estás...

a ☐ pidiendo una cita
b ☐ aparcando un coche.
c ☐ quedando con una amiga.

Expresión escrita y oral

6 Mira estas dos fotografías. En cinco líneas describe cada una de ellas. Luego explícales a tus compañeros en cuál de las dos te gustaría vivir.

Antes de leer

1 Las palabras siguientes se utilizan en el capítulo siguiente. Asocia cada palabra a la definición correspondiente y comprueba tus respuestas a lo largo del texto.

a coche
b agacharse

c terciopelo
d chantajear

1 ☐ Amenazar de difamación pública a alguien, para obtener de él dinero u otro beneficio.

2 ☐ Vehículo sobre ruedas, impulsado por su propio motor que circula por las carreteras.

3 ☐ Tela generalmente de seda con superficie muy suave.

4 ☐ Encoger el cuerpo, doblando hacia abajo la cintura o las piernas.

Querido, viejo olmo

Hace varios días que el teniente Roqueta está vigilando cerca del  viejo olmo. Se ha levantado muy temprano y se ha quedado allí hasta la noche. Muchos se han acercado al árbol, pero nadie ha hecho el gesto que únicamente el asesino puede hacer. Hay un secreto en el olmo y, a parte él, solamente lo conoce el homicida. Sospecha de alguien... le falta solo la prueba. Por eso no se cansa de esperar: sin duda, el culpable dará un paso en falso.

Un coche se para en el aparcamiento de la plaza. ¡Finalmente! «A ver si esta vez es la buena», piensa el guardia civil. Es Marta. Rápido, Roqueta entra en la posada y observa desde la ventana del comedor.

La mujer, que viste vaqueros y una camiseta violeta, se gira para ver si está sola. Finge perder las llaves del coche, se agacha y mete el brazo en la base del viejo árbol. Hay una rendija, un agujero bastante profundo. Al cabo de algunos segundos, saca una bolsa roja de terciopelo.

—¡Alto! —ordena el teniente que la alcanza en unos instantes. Le coge los brazos y le pone las esposas.

—Está usted detenida —dice un poco brusco.

La mujer opone una débil resistencia.

—Querido, viejo olmo, sin ti... —susurra el joven guardia civil, mientras por un momento, pone la mano en el tronco.

Es de noche, muy tarde.

—Antes o después confesará. Debe confesar, por fuerza —dice el brigada a un colega. Tienen delante una decena de tacitas de café vacías.

—Morote, venga. Hay que escribir la declaración —grita de golpe el teniente.

—Me imagino que tampoco esta vez me pagará los extraordinarios por estas horas de trabajo —susurra, mientras se dirige hacia la oficina de su superior.

Apenas entra, Roqueta le dice que se siente y escriba en el ordenador. Marta, rígida como una estatua, le dirige una ojeada gélida.

—¿Está preparada? —pregunta el teniente.

—Sí —responde la mujer en voz baja.

—Entonces, escriba. Yo, Marta, las señas personales las sabe, confieso que he matado etc., etc., porque... —ahora el teniente levanta la cabeza y pregunta:

—¿Por qué? Me lo explique otra vez.

La mujer se pasa una mano entre los cabellos.

—La primera vez he matado para defender a mi hijo...

Él la mira perplejo.

Marta continúa:

—Sí, mi hijo no tenía que saber que aquel hombre era su verdadero padre, y mi marido no podía afrontar aquel escándalo... Estaba desesperada... He pensado que debía defender a mi familia, borrar para siempre aquel error de juventud. Una aventura que terminó mal. Andrés me había abandonado y ahora tenía el coraje de volver a buscarme y pretender el hijo amado, crecido, protegido por otro... —se seca las lágrimas.

Roqueta espera paciente en el otro lado de la mesa. Ella prosigue:

—En cuanto al farmacéutico, he tenido que matarlo también.

—¿Por qué?

—Porque me chantajeaba. Había comprendido que había envenenado a Andrés.

—¿Cómo había conseguido adivinarlo?

—No podía equivocarse, yo era la única persona que había comprado el veneno.

Cierra los ojos, cansada. Luego los abre de nuevo y dice:

—Me ha pedido dinero para callar. Según él, yo tenía las piedras preciosas y podía venderlas. ¡Pero no las tenía y no tenía el dinero! Después de liberarme de Jesús, he buscado por todas partes... Pero solo cuando he visto la hoja del olmo caer del bolsillo de la chaqueta, he comprendido dónde podían estar escondidas las piedras preciosas. Me acordé que de niños jugábamos muchas veces al lado del viejo olmo. Ya entonces, en el tronco, se abría aquel agujero, precisamente en la base: ¡el sitio más seguro para diamantes, ópalos, esmeraldas y rubíes!

—Ahora vamos a volver a los delitos... Lo ha hecho muy bien. Estábamos seguros que en el caso del pobre Andrés, se trataba de un envenenamiento, pero no conseguíamos descubrir qué era lo que lo había matado. Luego, he encontrado el confite y los análisis han confirmado mis sospechas.

—¿Qué confite? —pregunta ella asombrada.

—El que la ha traicionado, en cierto sentido —responde Roqueta y apoya la cabeza contra el respaldo de la silla—. El que ha caído, como la hoja, de la chaqueta de la víctima. El análisis químico ha dado como resultado que contenía veneno. Había una caja de confites en el armario. He hecho analizar también aquellos: estaban todos envenenados y en la caja hay un mensaje escrito por usted en el que finge querer hacer las paces con Andrés.

La mujer aprieta los labios, mostrando toda su rabia.

—¡Maldito, maldito destino! ¡Me han traicionado cosas sin importancia! Andrés era muy goloso. De hecho, aunque la tarta estaba ya en la mesa, no ha resistido a la tentación y se ha comido un confite, haciendo de este modo funcionar mi plan precisamente antes de pronunciar el discurso...

—¡Oh cierto! Hay que ser estúpidos para dejar señales tan evidentes —observa él con calma y prosigue— en cuanto al otro homicidio, tenía que parecer una desgracia. Por eso ha serrado las tablas del pequeño puente, ¿verdad?

—Sí.

—Basta ya —dice Roqueta.

El brigada se lleva a Marta, mientras el teniente se acerca a la ventana, mira hacia la plaza y la posada, fijando la vista en el viejo olmo.

Después de leer

Comprensión lectora

1 Marca con una ✗ si las afirmaciones son verdaderas (V) o falsas (F).

		V	F
1	El teniente está vigilando hace un mes.	☐	☐
2	Se ha levantado muy de mañana.	☐	☐
3	El secreto del olmo lo conoce solamente el teniente.	☐	☐
4	Roqueta vigila a Marta desde el comedor.	☐	☐
5	Cuando Marta va a hacer la declaración está muy tensa.	☐	☐

Comprensión auditiva

16 **2** Vas a escuchar **cuatro diálogos breves entre dos personas**. Elige la respuesta correcta de la persona que responde.
DELE

Diálogo 1 — Mujer:

a ☐ Sí, debajo de la mesa.

b ☐ Sí, en la calle siguiente a la izquierda.

c ☐ Prefiero ir en autobús.

Diálogo 2 — Mujer:

a ☐ No tomo postre.

b ☐ Hoy no cuestan mucho.

c ☐ Están un poco verdes todavía.

Diálogo 3 — Mujer:

a ☐ No tengo ningún libro.

b ☐ Voy a poner una bombilla.

c ☐ No, es que mañana tengo que levantarme pronto.

Diálogo 4 — Mujer:

a ☐ Lo siento, por la tarde estoy ocupada.

b ☐ A mí tampoco.

c ☐ Te espero a la salida.

El Pretérito perfecto

Es un tiempo compuesto y se forma con el presente del auxiliar **haber** y el **participio** del verbo que se conjuga.

Lo usamos cuando explicamos sucesos pasados que nos interesan en su relación con el presente.

yo · **he**
tú · **has**
él, ella, usted · **ha**
nosotros/as · **hemos**
vosotros/as · **habéis**
ellos, ellas, ustedes · **han**

Participio:

cant- ar → cant-**ado**   com- er → com-**ido**   sal- ir → sal-**ido**

Hay algunos participios irregulares:

decir → **dicho**   hacer → **hecho**   escribir → **escrito**

Gramática

3 **Completa las frases con el Pretérito perfecto adecuado, utilizando los siguientes verbos.**

a descubrir	b traicionar	c levantarse	d tener
e pararse	f meter	g poner	h hacer
i quedarse	j decir		

1 El teniente .... muy pronto esta mañana.

2 .... cerca del viejo olmo hasta la noche.

3 Un coche .... en el aparcamiento de la posada.

4 La mujer .... el brazo en el viejo olmo.

5 Roqueta .... las esposas a Marta.

6 —La primera vez lo .... para defender a mi hijo.

7 —Por lo que se refiere al farmacéutico, ... que matarlo también.

8 —Me .... cosas sin importancia, como un confite.

9 —Roqueta y yo .... a la asesina de Andrés y el farmacéutico.

10 —El teniente me .... que tengo que tomarle declaración a Marta.

Léxico

4 En cada grupo de tres adjetivos, señala el que es el contrario de los otros dos.

1	pequeño	grande	grueso
2	equívoco	correcto	exacto
3	veloz	lento	rápido
4	anciano	joven	viejo
5	duro	brusco	amable
6	vacío	rebosante	lleno

5 Asocia cada palabra a la imagen correspondiente.

a una rendija　　**b** una taza　　**c** unas bolsitas　　**d** unas esposas

Expresión escrita y oral

6 En un minuto, cuenta a tus compañeros/as lo que pasa en este capítulo.

7 Tú has asistido a un delito. Escríbele una carta a un/a amigo/a tuyo/a especificando dónde, cuándo y cómo ha tenido lugar dicho delito. (Unas cien palabras.)

Las mágicas playas de Adeje

Adeje, el pequeño pueblo al sur de la isla de Tenerife, está lleno de flores. Geranios en los balcones de sus casas, azaleas y rododendros en los jardines. Una pareja [1] de jóvenes se sonríen. Èl tiene una cara simpática, ella es rubia de ojos luminosos. No paran de sonreírse mientras pasean por las callecitas del pueblo. Luego se paran delante de una joyería.

—¿Estás segura? —pregunta el chico mientras la coge de la mano. Después le da un beso.

Ana, muy emocionada, abre la puerta.

---

1. **pareja**: conjunto de dos personas entre las que hay una relación sentimental.

—Buenos días, queremos elegir un anillo... —dice la chica al negociante.

—Pero ya tenemos la piedra —añade el novio. Saca del bolsillo de la chaqueta una cajita azul y la abre.

—Un ópalo bellísimo —comenta el joyero. Después lo observa con una lente—. Vetas azules y verdes extraordinarias. No es fácil encontrar piedras como estas.

—Efectivamente viene de muy lejos, de Australia —explica él.

—Entonces se necesita una montura especial —afirma el joyero—. Perdonad un momento —dice, y se aleja. Los jóvenes lo ven abrir una cajafuerte. Vuelve con una montura muy elegante.

—¡Qué maravilla! —exclama la chica entusiasta.

Una hora más tarde, Ana y Luis toman un café en una de las playas de Adeje.

—¿Estás contenta? —pregunta el chico.

—No contenta, felicísima —le responde ella, y lo abraza. Se miran durante mucho tiempo, hasta que alguien les interrumpe.

—Entonces, ¿cuándo va a ser el anuncio oficial de la boda? —pregunta una chica de pelo largo, pelirroja.

—¡Roberta, qué sorpresa!

Pero las sorpresas no se acaban ahí. Desde la esquina [2], un joven con un cuerpo atlético avanza con paso ágil y una sonrisa en los labios.

—Teniente, ¿por qué no se sienta con nosotros?, tenemos que festejar —dice Ana.

—¿Qué festejamos?

---

2. **esquina**: ángulo exterior que forman las paredes de un edificio.

—Ciertamente el éxito de su investigación, y luego... —le tiembla la voz.

—¿Y luego?

—¡Nuestro matrimonio!

—¡Muy bien! ¡Enhorabuena! —comenta Roqueta, muy alegre. Entretanto no para de sonreír a la amiga de Ana.

—A propósito —dice Ana mirando al teniente un poco maliciosa— todavía no tenemos los testigos y estaba pensando en usted...

—Yo, no sé si...

—Nada, nada —dice Luis— usted y Roberta son los más indicados para ser nuestros testigos. Ya está decidido.

—Por mí no hay ningún problema, estoy contentísima —dice Roberta sin mirar directamente al teniente.

«Bonito... Aquí es todo bonito. El sol brilla, el aire es fresco y las chicas... las chicas efectivamente son muy guapas» piensa, mientras los ojos azules de Roberta lo encantan.

«¡Sí, de ir a Jaca nada! Tengo que quedarme aquí. ¡Es una maravilla, un encanto, la isla de Tenerife es magia pura!»

Después de leer

Comprensión lectora y auditiva

1 Marca con una ✗ la respuesta adecuada.

1 La estación en que se desarrolla el capítulo es
a ☐ en verano.
b ☐ en invierno.
c ☐ en primavera.

2 Los geranios están
a ☐ en los jardines.
b ☐ en las ventanas.
c ☐ en los balcones.

3 Luis y Ana se paran delante de
a ☐ perfumería.
b ☐ joyería.
c ☐ peluquería.

4 En la tienda, Luis saca de la chaqueta
a ☐ una obolsa de piedras preciosas.
b ☐ una cajita azul.
c ☐ un paquete de caramelos.

5 A Ana, la montatura del anillo
a ☐ no le gusta nada.
b ☐ le parece poco elegante.
c ☐ le gusta mucho.

6 Roberta encuentra a los novios
a ☐ riñendo delante de la joyería.
b ☐ tomando el sol en la playa.
c ☐ tomando un café.

7 El teniente Roqueta decide
a ☐ pedir el traslado a otro sitio.
b ☐ irse de vacaciones con Roberta.
c ☐ permanecer en la isla.

Gramática

2 Elige la opción correcta.

1 —Ana, ¿ .... segura de que te gusta este anillo?
—Sí, segurísima.
  a eres   **b** estás

2 —¿Cuántos turistas hay en la posada.
—No hay ....
  a alguno   **b** ninguno

3 —¿Cómo son las chicas en Tenerife?
—¡Son .... guapas!
  a mucho   **b** muy

4 —¿Dónde vas de vacaciones este verano?
—Seguramente voy .... Canarias.
  a a   **b** en

5 —A mí me gustan mucho las piedras preciosas.
—A mí ....
  a tampoco   **b** también

6 —¿Y este anillo?
—Lo he comprado .... ti.
  a para   **b** por

Léxico

3 Asocia cada flor a la foto correspondiente.

  a rosas   **c** tulipanes   **e** rododendros
  b geranios   **d** azaleas   **f** azucenas

4 Associa cada joya a la foto correspondiente.

a	unos pendientes	d	una pulsera	g	un reloj
b	una diadema	e	un collar	h	un colgante
c	un anillo	f	un broche	i	un brazalete

1

2

3

4

5

6

7

8

9

PROYECTO **INTERNET**

Vivir en Tenerife

Tenerife es la isla más extensa del Archipiélago Canario y la más poblada de España. Busca en Internet las páginas web que hablan de esta isla muy bonita y después resuelve los ejercicios siguientes.

Responde a las siguientes preguntas.

1 ¿Cómo puedes llegar a Tenerife?

2 ¿Qué fruto es uno de los principales recursos agrarios de la isla?

3 ¿Cuál es la temperatura media durante el año?

4 ¿Qué es el Teide?

5 ¿De qué color son las playas de arena de la isla?

6 ¿Qué ciudad fue declarada Patrimonio Histórico de la Humanidad?

7 ¿Sabes cuál es el árbol que los antiguos habitantes consideraban divino?

8 Si eres un estudiante y quieres visitar el Parque del Drago, ¿cuánto pagas la entrada?

9 ¿Cuáles son los dos cultivos principales del Valle de La Orotava?

10 ¿En qué año se creó el Parque Nacional del Teide?

1 Escribe una frase que describa cada dibujo. Después ponlas en el orden cronológico de la historia.

2 **Asocia cada personaje a su profesión o a su actividad.**

1	☐	Luis	a	buscador de diamantes
2	☐	Helena	b	florista
3	☐	Jesús	c	propietaria de una posada
4	☐	Morote	d	teniente
5	☐	Ana	e	brigada
6	☐	Andrés	f	cocinero
7	☐	Roqueta	h	farmacéutico

3 **En esta historia se han cometido dos asesinatos. Rellena estas fichas.**

Primer asesinato

Culpable: ....

Víctima: ....

Móvil, motivo: ....

Indicio/s, prueba/s: ....

Arma del crimen: ....

Segundo asesinato

Culpable: ....

Víctima: ....

Móvil, motivo: ....

Indicio/s, prueba/s: ....

Arma del crimen: ....

4 Completa cada frase con la parentela o la relación correspondiente de cada personaje de la historia.

1   Helena es la .... de Andrés.

2   Andrés es el .... de Paula.

3   Luis es el .... de Helena.

4   Paula es la .... de Andrés.

5   Luis es el .... de Paula.

6   Marcos es el .... de Paula.

7   Ana es la .... de Luis.

8   Roberta es la .... de Ana.

9   Helena es la .... de Paula.

10 Luis y Paula son .... de Helena.

5 Elige la opción correcta de una de las tres que se te proponen.

1   En una de las habitaciones de la posada no .... nadie.

   a ☐ están   **b** ☐ está   **c** ☐ hay

2   Andrés es .... rico que no sabe qué hacer con el dinero.

   a ☐ así   **b** ☐ tan   **c** ☐ tanto

3   No quiero el café porque .... tomarlo.

   a ☐ termino   **b** ☐ acabo   **c** ☐ acabo de

4   Helena .... a la habitación para buscar los diamantes.

   a ☐ sale   **b** ☐ sube   **c** ☐ coge

5   El teniente no solo es simpático .... también inteligente.

   a ☐ pero   **b** ☐ si no   **c** ☐ sino

6   Roqueta está leyendo el periódico .... la foto de los reyes.

   a ☐ abajo   **b** ☐ bajo de   **c** ☐ debajo de

7   —Tienes que encontrar el dinero .... digo que el asesino eres tú.

   a ☐ sino   **b** ☐ porque   **c** ☐ si no

8　Luis .... con Ana para ir mañana a tomar un café.

　　a ☐ se ha quedado　　**b** ☐ le queda　　**c** ☐ ha quedado

9　Ana y Marta están llegando, se oyen .... voces en las escaleras.

　　a ☐ suyas　　**b** ☐ sus　　**c** ☐ las sus

10　El teniente se queda en la isla .... las chicas son muy guapas.

　　a ☐ por que　　**b** ☐ es que　　**c** ☐ porque

18 **6** **Vas a oír una serie de palabras. Ponlas en relación con las de la columna que te proponemos a continuación.**

1 ☐	**a**	anillo
2 ☐	**b**	tacita
3 ☐	**c**	banco
4 ☐	**d**	aparcamiento
5 ☐	**e**	ventana
6 ☐	**f**	pescador
7 ☐	**g**	ramas
8 ☐	**h**	tarta nupcialcial
9 ☐	**i**	novios
10 ☐	**j**	ramo
11 ☐	**k**	piedra preciosa
12 ☐	**l**	rosa
13 ☐	**m**	arena
14 ☐	**n**	árbol

7 **En unas cien palabras, escribe un delito que has leído en un periódico o que has escuchado en televisión.**